# Mi nueva MAMÁ y YO

## MY NEW MOM & ME

## Renata Galindo

LATAdeSAL
Gatos

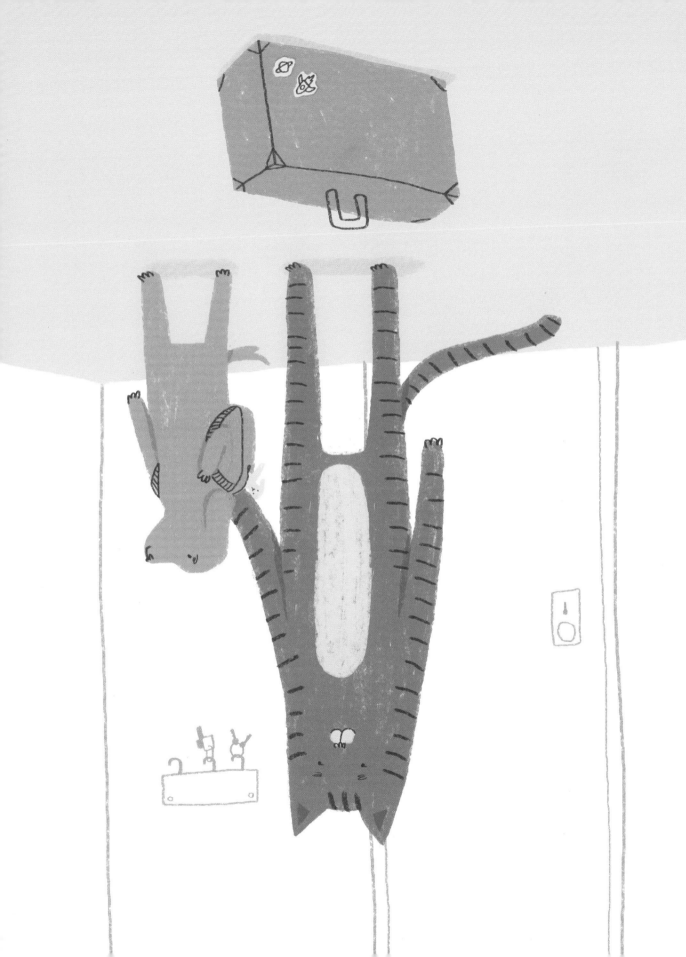

Cuando vine a vivir
con mi nueva mamá,
estaba nervioso.
Esta sería mi casa.

When I first came to live
with my new mom,
I was nervous.
This would be my home.

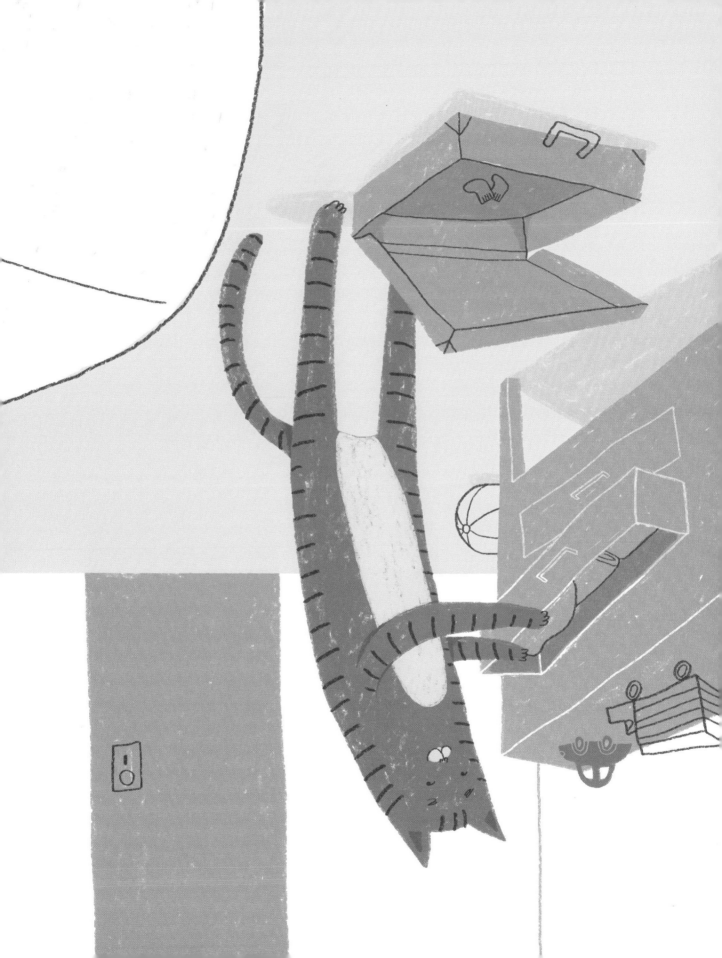

Nunca antes había tenido
mi propia habitación.

I'd never had my
own room before.

Me preocupaba no parecerme a mamá,

I was worried that I didn't look like mom,

así que traté de arreglarlo.

so I tried to fix it.

Pero mamá me dijo que yo no necesitaba ningún arreglo.

But mom said I didn't need fixing.

Le gusta que
seamos diferentes.

She likes that
we are different.

De hecho, creo que a mí
también me gusta.

Actually, I think I like it, too.

(Y, ¡qué importa lo que piensen los demás!)

(And who cares what anyone else thinks!)

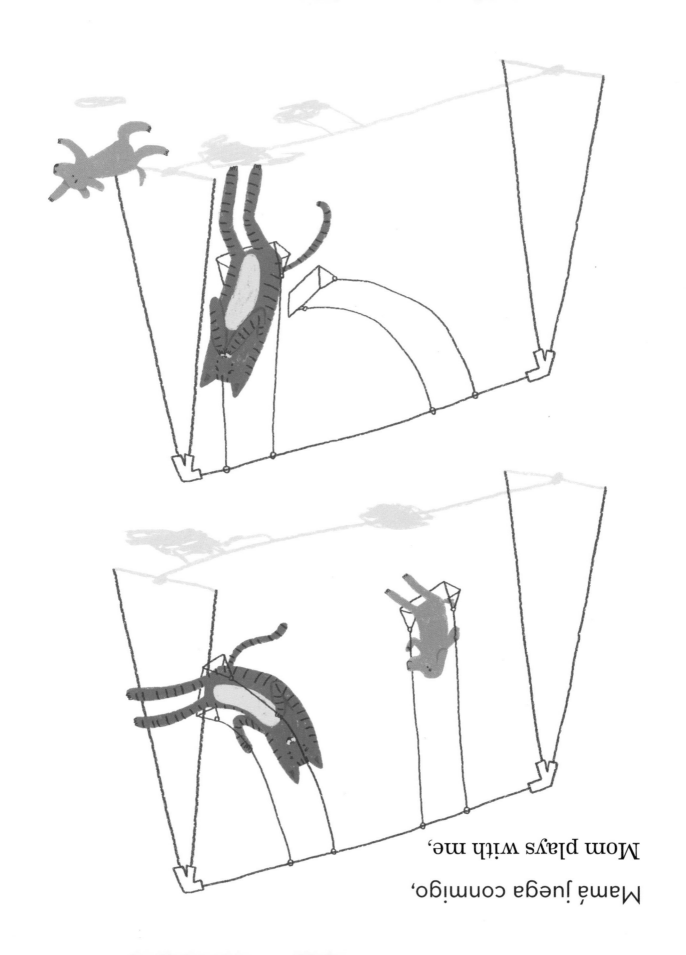

Mamá juega conmigo,

Mom plays with me.

y cuida de mí.

and she takes care of me.

Hace todas las cosas que hace una mamá.

She does all the things that moms do.

¡Incluso aquellas que me hacen enfadar!

Even the things that make me mad!

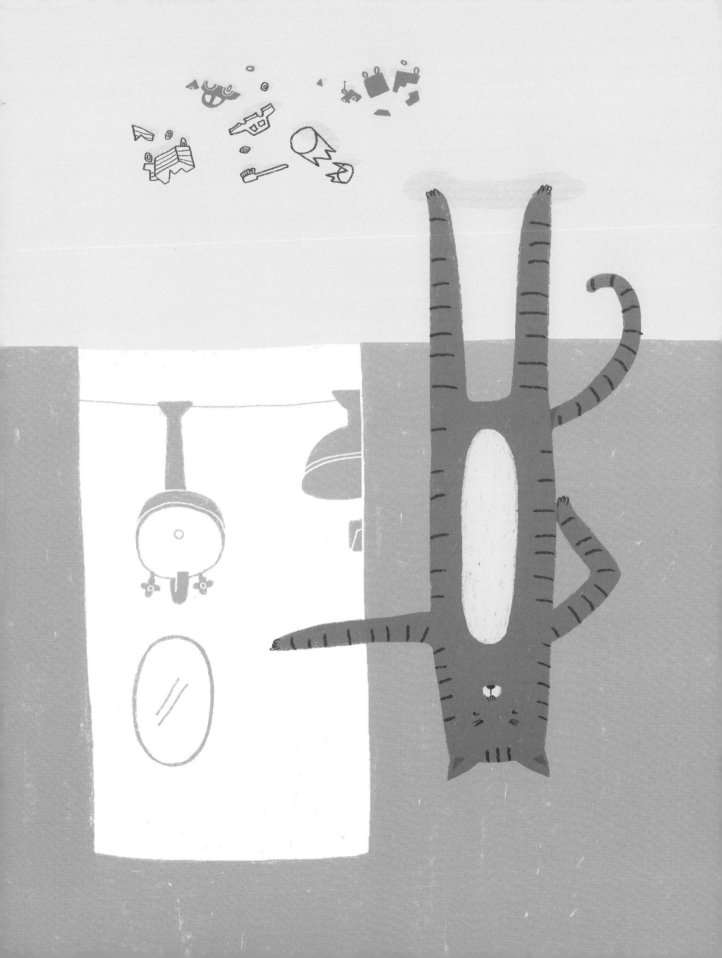

A veces no me gusta mamá.

**Sometimes I don't like mom.**

A veces me siento muy triste.

Sometimes I feel really sad.

Pero mamá me promete que estaremos bien.

But mom promises me we'll be okay.

Dice que si nos esforzamos un poco más,

She says that if we just try a little harder,

mañana todo estará mejor.

tomorrow will be better.

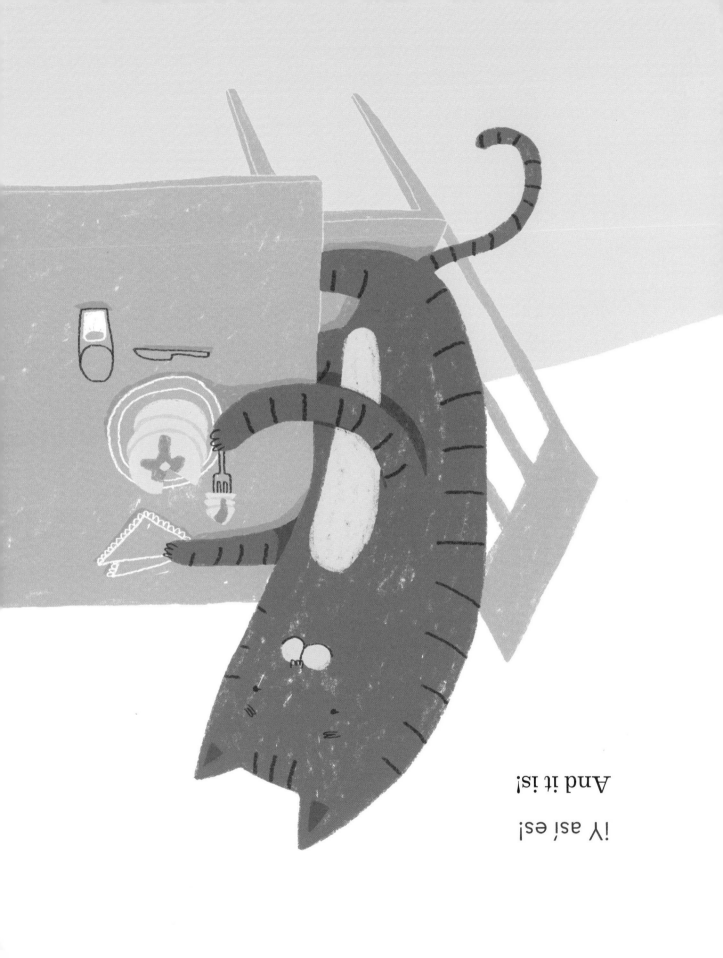

¡Y así es!
And it is!

Mamá está aprendiendo cómo ser mi mamá,
y yo estoy aprendiendo cómo ser su hijo.

Mom is learning how to be my mom,
and I am learning how to be Mom's kid.

Estamos aprendiendo a ser una familia.

We are learning how to be a family.

Título original: *My new mom & me*

© publicado por acuerdo con Schwartz & Wade Books,
sello de Penguin Random House, LLC.
Esta edición bilingue ha sido publicada gracias al acuerdo con
BookStop Literary Agency, LLC.

© del texto: Renata Galindo, 2016
© de las ilustraciones: Renata Galindo, 2016
© de esta edición: Lata de Sal Editorial, 2018

www.latadesal.com
info@latadesal.com

© de la traducción: Renata Galindo
© del diseño de la colección y de la maquetación: Aresográfico

Impresión: Egedsa
ISBN: 978-84-946650-8-0
Depósito legal: M-5445-2018
Impreso en España

Y Logan y Chasis son dos gatos adoptados y amados.
*#adoptanocompres*